문재인

2022. 5

문재인의 **운명**

| 화보집 |

문재인의 운명

문재인의 운명

화보집

더휴먼

2016년 겨울 전국 곳곳의 광장과 거리를 가득 채웠던 것은

"대한민국의 모든 권력은 국민으로부터 나온다"는 헌법 제1조의 정신이었습니다.

세상을 바꾸는 힘은 언제나 국민께 있다는 사실을 촛불을 들어 다시 한번 역사에 새겨 놓았습니다.

첫 마음을 지키십시오.

본래 가고자 했던 그 방향을 지키십시오.

지금 당장은 힘이 부족해 패배할지 모르지만

영원히 패배하는 일은 없을 것입니다.

패배를 두려워하지 않아야 패배하지 않습니다.

2013년 9월 23일, 천주교 시청미사

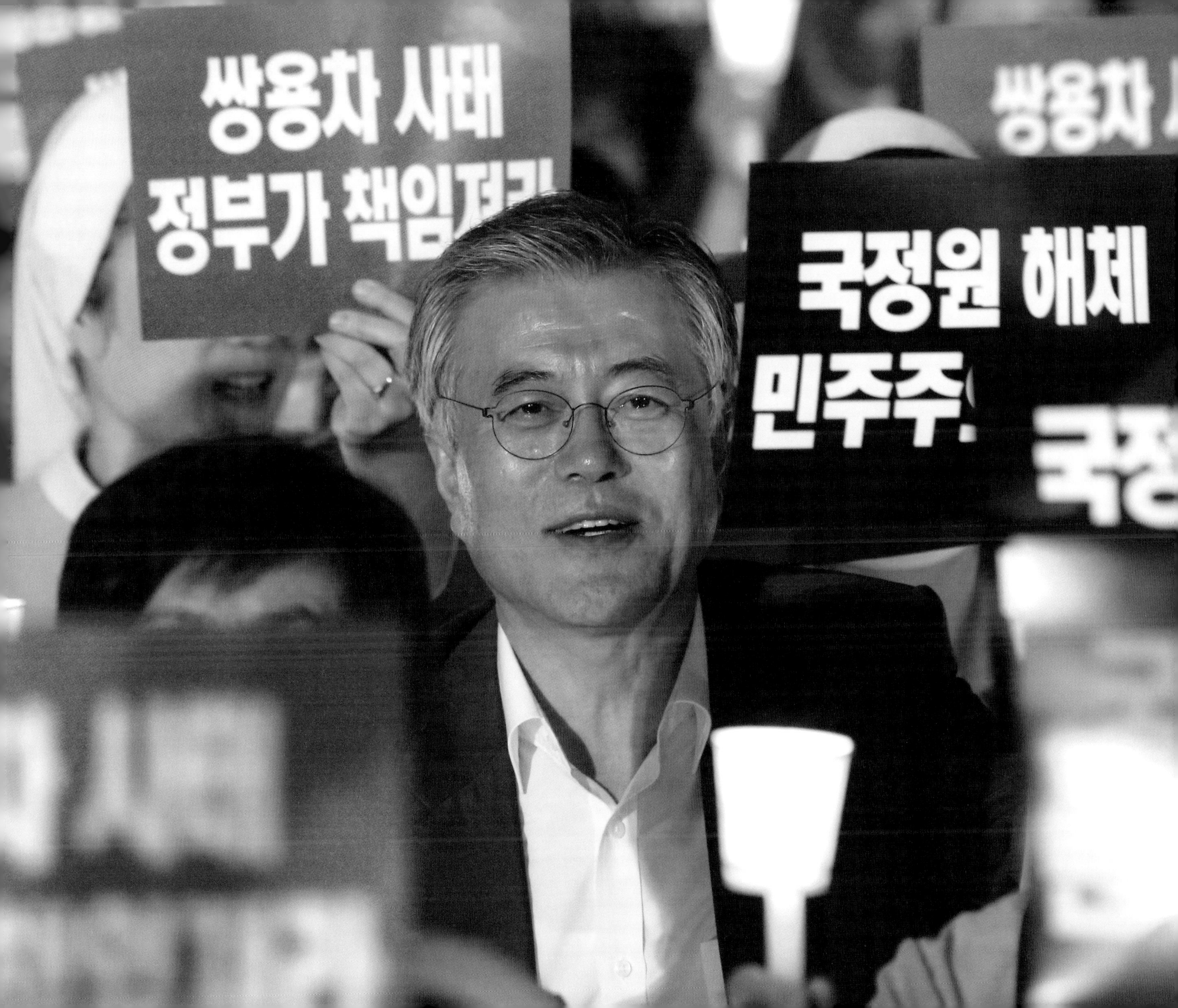
쌍용차 사태
정부가 책임
국정원 해체

개인이 나라를 위해 존재하는 것이 아니라

개인의 인간다운 삶을 보장하기 위해 존재하는 나라를 생각합니다.

그것은 모든 국민께서 인간으로서의 존엄과 가치를 가지고 행복을 추구할 권리를 가지는

헌법 제10조의 시대입니다. 우리 정부가 실현하고자 하는 목표입니다.

2010년, 10·4 남북공동선언 3주년 행사

문재인 정부는 5·18민주화운동의 연장선 위에 서 있습니다.
1987년 6월 민주항쟁과 국민의 정부, 참여정부의 맥을 잇고 있습니다.

2011년 3월 16일, 노무현재단

허위사실로
노무현 전 대통령의 명예를 훼손한

조현오

경찰청장을

2010년 12월 20일, 검찰청 1인 시위

2011년 4월 26일, 검찰청 1인 시위 두 번째

누구나 실수나 실패를 할 수 있습니다.

차이는 그러한 실수나 실패를 성찰하고 반성하면서 더 나은 내일을 그려 나가느냐,

아니면 과거에 대한 성찰을 외면하고 미화하려고만 드느냐에 있습니다.

우리가 역사를 배우는 이유는 과거를 성찰하고 교훈을 얻지 못하면 미래가 뒤틀리기 때문입니다.

일을 하고 꿈을 꾸는,

일상을 유지해 가는 평범함이

가장 위대합니다.

2014년 6월, 사회적기업 리드릭 방문

진도 팽목항에 5·18의 엄마가 4·16의 엄마에게 보낸 펼침막이 있었습니다.

"당신 원통함을 내가 아오. 힘내소. 쓰러지지 마시오."

국민의 생명을 짓밟은 국가, 국민의 생명을 지키지 못한 국가를 통렬히 꾸짖는 외침이었습니다.

다시는 그런 원통함이 반복되지 않도록 하겠습니다.

국민의 생명과 사람의 존엄함을 하늘처럼 존중하겠습니다.

저는 그것이 국가의 존재가치라고 믿습니다.

2014년 8월 24일, 광화문 단식 6일차

2014년 8월 26일, 광화문 단식 8일차

도덕적 승리는 느려 보이지만

진실로 세상을 바꾸는 가장 빠른 방법입니다.

운명 같은 것이 나를 지금의 자리로 이끌어 온 것 같다.

노무현 변호사를 만나고, 지금에 이르게 된 것도 마치 정해진 것처럼 느껴진다.

대통령은 유서에서 '운명이다!'라고 했다.

내 삶도 그런 것 같다.

2011년 5월 23일, 노무현 전 대통령 서거 2주기 추도식

성공으로 얻는 것이 51이라면, 실패로 얻는 것은 49입니다.

우리는 결과가 아니라 과정에서 모든 것을 얻습니다.

아무것도 얻지 못하는 최악의 실패가 있다면,

그것은 실패가 두려워 시작하지도 않는 것뿐입니다.

나를 위한 꿈보다

누군가의 간절한 소망과 함께하는 꿈, 모두가 함께 꿀 수 있는 꿈,

정말 행복한 꿈은 이런 것이 아닐까 생각해 봅니다.

여러분은 지금 어떤 꿈을 꾸고 계십니까?

2017년 4월, 제19대 대선 선거 유세

대한민국 제19대 대통령으로서 새로운 대한민국을 향해 첫걸음을 내딛습니다.
지금 제 두 어깨는 국민 여러분으로부터 부여받은 막중한 소명감으로 무겁습니다.
지금 제 가슴은 한 번도 경험하지 못한 나라를 만들겠다는 열정으로 뜨겁습니다.

국민이 만든 19대 문재인 대통령
진심으로 축하드립니다
-금송힐스빌 주민 일동-

2017년 5월 10일 오늘 대한민국이 다시 시작합니다.

나라를 나라답게 만드는 역사가 시작됩니다.

이 길에 함께해 주십시오. 저의 신명을 바쳐 일하겠습니다.

평화는 지키는 것이 아니라 만들어 가는 것입니다.

우리 군의 최고 통수권자로서

누구도 넘볼 수 없는 안보 태세를 갖추겠습니다.

개인과 기업의 성공이 동시에 애국의 길이 되는
정정당당한 나라를 다 함께 만들어 나갑시다.

2018년 8월, 데이터 규제혁신 현장방문(판교)

G7정상회의에 참석하면서 두 가지 역사적 사건이 마음속에 맴돌았습니다.

하나는 1907년 헤이그에서 열렸던 만국평화회의입니다.

일본의 외교 침탈을 알리기 위해 시베리아 횡단철도를 타고 헤이그에 도착한 이준 열사는,

그러나 회의장에도 들어가지 못했습니다. 다른 하나는 한반도 분단이 결정된 포츠담회의입니다.

우리는 목소리도 내지 못한 채 강대국들 간의 결정으로 우리 운명이 좌우되었습니다.

이제 우리는 우리 운명을 스스로 결정하는 나라가 되었습니다.

많은 나라가 우리나라와 협력하기를 원합니다.

참으로 뿌듯한 우리 국민들의 성취입니다. 대한민국을 자랑스럽게 여깁니다.

CENTER SEOUL

청와대 안보실장 정의용
Chung, E. Y., Dir., NS

새로운 대한민국은 여기서 출발해야 합니다.

제도상의 화해를 넘어서 마음으로 화해해야 합니다.

빼앗긴 나라를 되찾는 데 좌우가 없었고,

국가를 수호하는 데 노소가 없었듯이

모든 애국의 역사 한복판에는 국민이 있었을 뿐입니다.

2017년 6월 6일, 제62회 현충일 추념식(국립서울현충원)

한반도 평화는 직접 당사자들 간의 대화만큼

다자간 외교를 통한 국제사회의 동의와 지지가 필요합니다.

우리 또한 한반도 평화가 아시아의 발전에 이득이 되고, 세계 평화에 기여할 것이라는 것을

끊임없이 확인시키고 설득해야 합니다.

국제외교는 평화를 완성해 가는 길이면서 동시에 완성된 평화를 지속 가능하게 하는 길입니다.

우리가 주도권을 갖고 우리의 운명을 결정하는 일이기도 합니다.

신영복 선생은 겨울철 옆 사람의 체온으로 추위를 이겨 나가는 것을

정겹게 일컬어서 '원시적 우정'이라고 했습니다.

세계 각지에서 모인 우리의 우정이 강원도의 추위 속에서 더욱 굳건해지리라 믿습니다.

갈등과 대립이 상존하는 지구촌에 이런 스포츠대회가 있다는 것이

얼마나 의미 있고 다행스러운 일인지 깊이 실감합니다.

평창동계올림픽이 아니었다면 한자리에 있기 어려웠을 분들도 있습니다.

그 무엇보다 중요한 것은 우리가 함께하고 있다는 사실입니다.

우리가 함께 선수들을 응원하며 우리의 미래를 이야기할 수 있다는 사실입니다.

세계의 평화를 향해 한 걸음 더 다가갈 소중한 출발이 될 것입니다.

2017년 7월, 2018 평창을 준비하는 사람들

"아무도 흔들 수 없는 새 나라 세워 가자."

해방 직후 한 시인은 광복을 맞은 새 나라의 꿈을 이렇게 노래했습니다.

74년이 흐른 지금 우리는 당당한 경제력을 갖추었습니다.

김구 선생이 소원했던 문화국가의 꿈도 이뤄 가고 있습니다.

그러나 '아무도 흔들 수 없는 나라'는 아직 이루지 못했습니다.

아직 우리가 충분히 강하지 않기 때문이며, 아직도 우리가 분단되어 있기 때문입니다.

2017년 8월 15일, 백범 김구 묘역 참배

변화는 늘 두렵습니다.

그러나 우리는 식민지와 전쟁을 겪으면서 아무것도 없는 빈손으로

불과 70여 년 만에 세계 11위 경제 대국이 되었습니다.

이런 성과를 우리는 변화에 빠르게 대처하면서 이뤄냈습니다.

2019년 1월, ICT 혁신과 제조업의 미래 콘서트

우리는 평화롭게 살 자격이 있습니다.
대한민국은 한반도를 넘어 대륙을 꿈꿀 능력이 있습니다.

주시경 선생은 "말이 오르면 나라도 오르고, 말이 내리면 나라도 내린다"고 했습니다.

한류의 세계적 인기와 함께 한글이 사랑받고 우리의 소프트파워도 더욱 강해지고 있습니다.

한글은 태어날 때부터 소통의 언어였습니다.

세종대왕은 쉽게 익혀 서로의 뜻을 잘 전달하자고 새로 스물여덟 글자를 만들었습니다.

이제 한글은 세계 곳곳에서 배우고, 한국을 이해하는 언어가 되었습니다.

575돌 한글날을 맞아, 밤늦게 등잔불을 밝혔던 집현전 학자들과

일제강점기 우리말과 글을 지켜낸 선각자들을 기려봅니다.

2018년 9월 1일, 당·정·청 전원회의

'한국의 갯벌' 유네스코 세계유산 등재를 축하합니다.

가장 낮은 곳에서 우리를 품어주고 우리에게 생계와 생명을 나눠주던 갯벌이

온 인류와 함께하는 유네스코 세계유산이 되었습니다.

서천갯벌 주민들은 빠른 발전 대신 공존을 선택했습니다. 산업단지 건설을 백지화하고 갯벌을 지켰습니다.

고창갯벌 주민들은 동죽 양식의 피해를 무릅쓰고 철새를 지켰고,

신안갯벌의 주민들은 자발적으로 생물권보전지역 확대를 요청하며 불편을 감수하셨습니다.

보성갯벌 주민들 역시 접안시설 확충 대신 갯벌을 택하셨고,

순천갯벌의 주민들은 전신주를 철거하고 전선을 지중화하여 흑두루미를 매년 반겼습니다.

편리함보다 공존이 훨씬 아름다운 일이라는 것을 지역주민들께서 보여주셨고 증명해 주셨습니다.

갯벌을 생명의 땅으로 지켜주신 지역주민들께 최고의 경의를 표합니다.

2019년 5월, 모내기 현장 방문

임청각臨淸閣은 일제강점기 전 가산을 처분하고 만주로 망명하여

신흥무관학교를 세우고 무장 독립운동의 토대를 만든 석주 이상룡 선생의 본가입니다.

그에 대한 보복으로 일제는 그 집을 관통하도록 철도를 놓았습니다.

아흔아홉 칸 저택이었던 임청각은 지금도 반 토막이 난 모습 그대로입니다.

임청각의 모습이 바로 우리가 돌봐야 할 대한민국의 현실입니다.

일제와 친일의 잔재를 제대로 청산하지 못했고 민족정기를 바로 세우지 못했습니다.

2019년 8월 15일, 제74주년 광복절 경축식(독립기념관)

아이들에게 선생님은 세상의 기준입니다.

선생님에게서 받은 인정과 사랑은 학생 자신의 참모습과 잠재력을 발견하는 힘이 됩니다.

좋은 스승이 되겠다는 다짐과 제자에 대한 믿음으로 힘든 길을 마다하지 않고 걷고 계신 모든 선생님들께

어느 제자의 마음을 바칩니다.

"선생님이 저를 사랑해주셔서, 저도 저를 사랑할 수 있게 되었습니다."

유엔총회에서 높아진 대한민국의 국격과 무거워진 책임을 동시에 느꼈습니다.

유엔이 창설된 후 처음으로 연대와 협력의 힘을 보여 준 것이 한국전쟁 참전이었습니다.

덕분에 우리는 전쟁의 참화에서 벗어나 개도국에서 선진국으로 도약할 수 있었습니다.

촛불은 위대했습니다.

민주주의와 헌법의 가치를 실현했습니다.

정치 변화를 시민이 주도했습니다.

새로운 대한민국의 방향을 제시했습니다.

촛불은 새로웠습니다.

뜻은 단호했지만 평화적이었습니다.

이념과 지역과 계층과 세대로 편 가르지 않았습니다.

나라다운 나라, 정의로운 대한민국을 요구하는 통합된 힘이었습니다.

촛불은 끝나지 않은 우리의 미래입니다.

국민과 함께 가야 이룰 수 있는 미래입니다.

끈질기고 지치지 않아야 도달할 수 있는 미래입니다.

촛불의 열망과 기대, 잊지 않겠습니다.

국민의 뜻을 앞세우겠습니다.

국민과 끝까지 함께 가겠습니다.

2016년 12월 7일, 국회 앞 촛불집회

어김없이 오월이 왔습니다.

떠난 분들이 못내 그리운 오월이 왔습니다.

살아 있는 오월이 왔습니다.

슬픔이 용기로 피어나는 오월이 왔습니다.

광주의 자부심은 역사의 것이고 대한민국의 것이며 국민 모두의 것입니다.

광주로부터 뿌려진 민주주의의 씨앗을 함께 가꾸고 키워내는 일은 행복한 일이 될 것입니다.

우리의 오월이 해마다 빛나고 모든 국민에게 미래로 가는 힘이 되길 바랍니다.

분단의 상처와 이산가족의 아픔은 오늘도 계속되고 있습니다.

서로를 향해 겨누었던 총부리는 아직도 원한으로 남았습니다.

아무리 세월이 흘렀다 한들 가족을 잃고, 전우를 잃고, 고향을 잃은 아픔이 쉽사리 씻기기는 어려울 것입니다.

그럼에도 우리는 앞으로 나아가야 합니다.

우리 자신과 미래세대를 위해 다시 용기와 결단이 필요한 때가 바로 지금이라고 생각합니다.

정부가 2017년부터 추진한 하굿둑 시범 개방의 결과는 놀라웠습니다.

기수대가 복원되기 시작했고

뱀장어와, 농어, 숭어, 문절망둑, 웅어 같은 물고기가 낙동강으로 돌아왔습니다.

드디어 오늘, 낙동강 하굿둑의 물길이 트입니다!

기후 위기 시대에 하구는 자연의 방파제이자 뛰어난 탄소흡수원입니다.

낙동강 나루터가 복원되고 생태관광자원이 된다면 지역 경제에도 큰 도움이 될 것입니다.

2019년 4월, 전국 경제투어

정치의 주인은 국민입니다.

도산 안창호 선생은 "참여하는 사람은 주인이요, 참여하지 않는 사람은 손님이다"라고 말했습니다.

투표가 더 좋은 정치, 더 나은 삶, 더 많은 민주주의를 만들 수 있습니다.

모두 투표해 주십시오.

민주공화국의 주권자로서 국민 모두 신성한 투표권 행사에 참여해 주십시오.

우리는 언제나 새로운 꿈을 꾸었습니다.

꿈을 잃지 않았기에 여기까지 왔습니다.

독립과 자유, 인간다운 삶을 향한 꿈이 해방을 가져왔습니다.

지난 6월 유엔무역개발회의는 만장일치로, 개발도상국 중 최초로 우리나라를 선진국으로 격상했습니다.

이제 선진국이 된 우리는 다시 꿈꿉니다. 평화롭고 품격 있는 선진국이 되고 싶은 꿈입니다.

국제사회에서 제 몫을 다하는 나라가 되고자 하는 꿈입니다.

2021년 11월 21일, 국민과의 대화

이제 국민께서 지켜 낸 대한민국은 국민을 지켜 낼 만큼 강해졌습니다.

철저한 대비 태세를 갖추고 있으며

우리는 두 번 다시 단 한 뼘의 영토·영해·영공도 침탈당하지 않을 것입니다.

우리는 전쟁을 반대합니다.

우리는 이 오래된 전쟁을 끝내야 합니다.

"전쟁터에 가시면서 저한테 하신 말씀이 아직도 생생합니다.

'욱자야, 동생들 잘 챙기고 따숩게 기다리거라. 이 장작을 다 태우기 전에 꼬옥 돌아올게.'"

고故 임춘수 소령은 1951년 7월 강원도 양구 전투에서 전사했습니다.

마지막 순간까지 가슴 깊이 딸의 돌 사진과 미처 부치지 못한 편지를 품고 있었습니다.

오늘 따님 임욱자 님이 70년 만에 아버지께 보내는 답장을 낭독해 주셨습니다.

이 편지들은 애국과 호국의 역사가 한 개인과 한 가족의 역사임을 증언하고 있습니다.

이제 나와 내 가족, 내 이웃이 지켜 낸 대한민국은

무엇과도 바꿀 수 없는 내 조국, 우리 모두의 나라가 되었습니다.

2020년 6월 6일, 제65회 현충일 추념식(국립대전현충원)

'국민께서 물으면 정부가 답한다'는 약속대로,
'국민청원'에 올라온 국민의 목소리에 최선을 다해 응답하겠습니다.

세상을 바꾸는 힘은 언제나 국민에게 있습니다.
당장 바뀌지 않더라도 끝내 바뀔 수 있습니다.
문재인 정부는 끝까지 국민과 함께 가겠습니다.

우리 사회에서 가장 시급한 민생현안 중 하나가 치매라고 생각합니다.

치매는 환자 본인뿐 아니라 가족들도 감당하기 힘든 병입니다.

환자는 기억이 지워지고 자존심을 지킬 수 없게 되며

환자를 돌보는 가족들의 관계도 깨어지는 경우가 있습니다.

때문에 치매 환자의 돌봄은 가족에게만 맡겨서는 안 되며 국가가 함께 책임져야 합니다.

2019년 5월 7일, 치매안심센터 방문

친일 잔재 청산도, 외교도 미래지향적으로 이뤄져야 합니다.

친일 잔재 청산은 친일은 반성해야 할 일이고, 독립운동은 예우받아야 할 일이라는

가장 단순한 가치를 바로 세우는 일입니다.

이 단순한 진실이 정의이고, 정의가 바로 서는 것이 공정한 나라의 시작입니다.

2019년 3월 1일, 제100주년 삼일절 기념식(광화문광장)

우리는 다시는 일본에게 지지 않을 것입니다.

소재·부품 산업의 경쟁력을 높여 다시는 기술 패권에 휘둘리지 않는 것은 물론

제조업 강국의 위상을 더욱 높이는 계기로 삼겠습니다.

당장은 어려움이 있을 것입니다. 그러나 도전에 굴복하면 역사는 또 다시 반복됩니다.

지금의 도전을 기회로 여기고 새로운 도약의 계기로 삼는다면 충분히 이겨낼 수 있습니다.

역사에 지름길은 있어도 생략은 없다는 말이 있습니다.

언젠가는 넘어야 할 산입니다. 지금 이 자리에서 멈춰 선다면, 영원히 산을 넘을 수 없습니다.

국민의 위대한 힘을 믿고 정부가 앞장서겠습니다.

우리나라 최초의 국립대학 부설 특수학교가 오늘 공주대학교에서 첫걸음을 시작합니다.

정부는 지난 4년간 14개의 특수학교를 개설했고, 1,717개의 특수학급을 증설했습니다.

'한 아이를 키우려면 온 마을이 필요하다'는 아프리카 속담이 있습니다.

한 아이를 키워내는 일은 쉽지 않은 일이지만 마을이 키워낸 아이가 다시 마을을 성장시키게 됩니다.

아직도 일부 지역에서 장애인 특수학교의 설립을 반기지 않는 분들이 적지 않은 것이 안타까운 현실입니다.

보다 너른 마음으로 우리의 아이라고 여겨 주시기를 당부드립니다.

2021년 12월 29일, 공주대학교 부설 특수학교 설립 간담회

이제 우리 방위산업의 무대는 세계입니다.

지금 세계 방산시장은 인공지능, 드론, 로봇 등 4차 산업혁명 기술과 함께 크게 변화하고 있습니다.

유인·무인 무기체계의 복합화와 플랫폼화는 방위산업의 거스를 수 없는 흐름이 되고 있습니다.

혁신에 강한 우리에게 새로운 기회가 아닐 수 없습니다.

방위산업에서도 '빠른 추격자'에서 '미래 선도자'로 나아갈 때입니다.

강한 국방력이 목표로 하는 것은 언제나 평화입니다.

한국은 첨단과학기술 기반의 스마트 강군을 지향하며, 세계와 함께 평화를 만들어 갈 것입니다.

기회는 평등할 것입니다.

과정은 공정할 것입니다.

결과는 정의로울 것입니다.

"로마의 평화를 지키는 것은 성벽이 아니라 시민의 마음"이라 했습니다.

한반도의 평화 역시 철조망이 아니라 우리 국민들의 마음에 있을 것입니다.

비무장지대 철조망을 녹여 만든 '평화의 십자가'를

로마에서 세계와 나눈 것은 매우 뜻깊은 일이었습니다.

한국판 뉴딜은 특히 국제사회에서 높은 평가를 받고 있습니다.

4차산업혁명과 탄소중립 시대의 대표적 국가발전전략으로 국제적으로 환영을 받게 되었고,

우리가 먼저 시작한 길에 주요국들도 뒤따르며 세계가 함께 가는 길이 되고 있습니다.

우리나라뿐 아니라 인류 공동체의 보편적 정책 방향이 된 것입니다.

정책의 이름은 바뀌더라도 정책의 내용만큼은 지키고 더 발전시켜나가면서

대한민국의 대표 브랜드 정책으로 만들어주기를 바라는 마음입니다.

누구도 넘보지 못하는 강한 나라, 국제사회에서 존중받는 나라를 반드시 만들어야 합니다.

그러기 위해선 우리 스스로 우리를 존중해야 합니다.

우리의 독립운동사를 제대로 밝히고,

독립유공자들과 후손들을 제대로 예우하는 것이 그 시작일 것입니다.

많은 나라가 우리와 협력하기를 바라고 있습니다. 우리 경제의 역량이 높아졌고,

성숙하며 평화적인 방법으로 민주주의를 일궈 낸 우리 국민들의 문화 역량을 높이 평가하기 때문입니다.

우리는 거대한 물줄기를 바꾸고 있습니다.

두렵지만 매우 보람된 일이 될 것입니다. 우리부터 서로 믿고 격려하며 지치지 않길 바랍니다.

2018년 9월 10일, 조코위 인도네시아 대통령 국빈만찬

우리는 만날수록 힘이 나는 민족입니다.

우리 겨레는 세계 어디서든 각자의 자리에서 빛나는 별입니다.

서로 믿고 의지하고 그리워하며 희망과 회복의 힘을 키워 왔습니다.

해외에 나올 때마다 현지 교민들에게서 힘을 얻습니다.

가는 곳마다 저와 우리 대표단을 응원해 주었습니다.

각별한 감사 인사를 전합니다.

2022년 1월, 해외순방 출발

대한민국은 이제 단 한 사람의 국민도 포기하지 않을 것입니다.

그만큼 성장했고, 그만큼 자신감을 갖고 있습니다.

더 이상 서러운 죽음과 고난이 없는 대한민국으로 나아가겠습니다.

참이 거짓을 이기는 대한민국으로 나아가겠습니다.

차별과 배제, 총칼의 상흔이 남긴 아픔을 딛고

광주가 먼저 정의로운 국민 통합에 앞장서 주십시오.

광주의 아픔이 아픔으로 머무르지 않고 국민 모두의 상처와 갈등을 품어 안을 때

광주가 내민 손은 가장 질기고 강한 희망이 될 것입니다.

2017년, 5·18 기념식(광주5·18민주묘지)

노무현이란 이름은

반칙과 특권이 없는 세상,

상식과 원칙이 통하는 세상의 상징이 되었습니다.

우리가 함께 아파했던 노무현의 죽음은 수많은 '깨어 있는 시민'으로 되살아났습니다.

그리고 끝내 세상을 바꾸는 힘이 되었습니다.

바이러스와 힘겨운 전쟁을 치르며 국민들은 대한민국을 재발견하기 시작했습니다.

'이미 우리는 선진국'이라고 말하기 시작했습니다. 우리가 따르고 싶었던 나라들이 우리를 배우기 시작했습니다.

우리가 표준이 되고 우리가 세계가 되었습니다.

이제는 대한민국의 위대함을 말하기 시작했습니다.

국민 스스로 만든 위대함입니다.

양보하고 배려했고, 연대하고 협력했습니다.

위기의 순간 더욱 강해졌습니다.

국민이 위대했습니다.

국민 여러분이 정말 자랑스럽습니다.

2017년 6월 6일, 중앙보훈병원 위문

역사를 잃으면 뿌리를 잃는 것입니다.

독립운동가들을 더 이상 잊힌 영웅으로 남겨 두지 말아야 합니다.

'독립운동을 하면 3대가 망한다'는 말이 사라져야 합니다.

친일 부역자와 독립운동가의 처지가 해방 후에도 달라지지 않더라는 경험이

불의와의 타협을 정당화하는 왜곡된 가치관을 만들었습니다.

독립유공자와 참전유공자에 대한 예우를 강화하겠습니다.

순직 군인과 경찰, 소방공무원, 유가족에 대한 지원도 확대할 것입니다.

그것이 우리 모두의 자긍심이 될 것이라 믿습니다.

2017년 8월 15일, 제72주년 광복절 경축식(세종문화회관)

국가를 위해 희생할 때 기억해 줄 것이라는 믿음,

재난·재해 앞에서 국가가 안전을 보장해 줄 것이라는 믿음,

이국땅에서 고난을 겪어도 국가가 구해 줄 것이라는 믿음,

개개인의 어려움을 국가가 살펴 줄 것이라는 믿음,

실패해도 재기할 수 있는 기회가 보장될 것이라는 믿음,

이러한 믿음으로 개개인은 새로움에 도전하고 어려움을 감내하고 있습니다.

국가가 이러한 믿음에 응답할 때 나라의 광복을 넘어 개인에게 광복이 깃들 것입니다.

2017년 9월 15일, 서해안 유류 피해 극복 10주년 행사

공정경제는 청년들의 경제활동에 공정한 기회를 보장하는 것입니다.

공정경제가 제도화되어야 혁신의 노력이 제대로 보상받고

실패해도 다시 일어설 수 있습니다.

2017년 12월, 미래 과학자와의 대화

나라를 위한 일에 헛된 죽음은 없습니다.

나라를 위한 희생은 공동체가 함께 책임져야 할 명예로운 일입니다.

오늘의 우리는 수많은 희생 위에 존재하기 때문입니다.

2017년 12월, 제1차 국민경제자문회의

올해 지구의 날에는 저녁 8시, 10분의 소등으로 함께하며

어둠 속에서 잠시 우리의 특별한 행성, 지구를 생각해 봅시다.

인류는 지구 위기의 심각성을 느끼며 지구 생명체의 한 구성원으로서 탄소중립을 실천하고 있습니다.

우리나라 역시 세계에서 14번째로 탄소중립을 법제화했고

우리 국민들은 에너지 절약과 분리배출, 플라스틱 줄이기를 실천하고 있습니다.

우리의 지구사랑, 아직 늦지 않았습니다.

저도 오늘 금강송 한 그루를 지구에 투자하겠습니다.

2017년 12월, 에너지제로주택 오픈하우스

정책을 만들고 발표하면서 '답은 현장에 있다'는 것을 항상 느낍니다.

국립서울현충원 제2묘역은 사병들의 묘역입니다.

여덟 평 장군 묘역 대신 이곳 한 평 묘역에 잠든 장군이 있습니다.

"내가 장군이 된 것은 전쟁터에서 조국을 위해 목숨을 버린 사병들이 있었기 때문이다.

전우들인 사병 묘역에 묻어 달라"고 유언한 채명신 장군입니다.

장군은 참다운 애국의 마음을 살아 있는 이야기로 들려주고 있습니다.

집의 기초가 주춧돌이듯, 우리 삶의 기초는 노동입니다.

노동존중사회 실현이라는 정부의 목표는 절대 흔들리지 않습니다.

노동자 전태일 열사께 국민훈장 무궁화장을 드렸습니다.

정직한 땀으로 숭고한 삶을 살아오신 노동자와

노동존중사회를 만들기 위해 애써오신 모든 분들께 존경의 인사를 드립니다.

집으로 돌아가는 노동자들의 발걸음이 더욱 가벼워지도록 계속 노력하겠습니다.

2018년 1월 3일, 쇄빙 LNG선박 건조 현장방문(옥포조선소)

국회의사당은 '함께 잘사는 나라'로 가기 위해 매일매일 새롭게 태어나야 하는 곳이며,

한순간도 멈출 수 없는 대한민국의 엔진입니다.

제21대 국회는 역대 가장 많은 여성의원이 선출되었습니다.

2, 30대 청년 의원도 제20대 국회보다 네 배나 늘었습니다.

장애인, 노동자, 소방관, 간호사, 체육인, 문화예술인에 이르기까지

국민들의 다양한 마음을 대변해줄 분들이 국민의 대표로 선출되었습니다.

2018년 1월 10일, 신년기자회견

보이지 않는 바이러스가 세상을 송두리째 바꾸고 있습니다.

피하고 싶어도 피할 수 없습니다. 정면으로 부딪쳐 돌파하는 길밖에 없습니다.

비상한 각오와 용기로 위기를 돌파해 나가겠습니다.

하루 빨리 완전한 일상회복으로 나아갈 수 있도록 전력을 다하겠습니다.

하지만 애석하게도 감염병은 충분한 애도와 추모의 기회조차 어렵게 만들었습니다.

많은 분들이 격리 중에 외롭게 돌아가셨고,

유족들은 사랑하는 사람을 떠나보내는 임종의 시간을 함께하지 못했습니다.

그 가늠할 수 없는 슬픔을 생각하며, 깊은 위로와 애도의 마음을 전합니다.

2018년 1월 10일, 인천공항 제2터미널 개장

이번 설날은 평창올림픽과 함께해서 더욱 특별합니다.

세계에서 반가운 손님들이 찾아와 제대로 된 까치설날을 맞았습니다.

선수들은 평창에서 운동복 대신 한복을 입고, 윷가락을 던지며 친구가 되고 있습니다.

남북의 선수들은 "반갑습니다." "안녕하세요?" 정겨운 우리말로 서로의 안부를 묻습니다.

너무나 오래 기다려 온 민족 명절의 모습입니다.

선수들의 열정은 평창의 얼음과 눈 위에서 타올랐고, 우리의 시선과 생각을 바꾸어 놓았습니다.

비장애와 장애의 구분이 가능과 불가능을 뜻하지 않음을 알게 되었습니다.

아픔을 극복한 한 인간의 도전이 어디까지 가능한지 직접 보았습니다.

선수들과 함께 울고 웃으며, 우리 안의 뜨거운 인류애를 느꼈습니다.

2018년 3월 17일, 패럴림픽 아이스하키 경기 관람

아무리 인공지능과 로봇이 생산성과 효율성을 높인다 해도

사람을 대체할 수는 없을 것입니다.

우리는 인공지능이 가져올 편리함과 동시에

사람의 소외를 초래할지도 모를 어두운 측면도 무겁게 고민해야 합니다.

경제적 가치와 함께 사람중심 가치의 중요성을 생각하며 미래를 설계해야 할 것입니다.

2018년 5월, 2018대한민국 혁신성장 보고대회

우리나라 어르신들은 내일을 생각하며 오늘을 참고 견디신 분들입니다.
어르신들이 만들고자 했던 '내일'이 우리의 '오늘'이 되었습니다.
우리는 어르신들의 삶을 하나하나 기억하고 더 깊이 공경할 것입니다.
자식들의 몫을 다하는 '효도하는 정부'가 될 것입니다.

저는 오늘 무연고 묘역을 돌아보았습니다.

한국전쟁에서 전사한 김기억 중사의 묘소를 참배하며

국가가 국민에게 드릴 수 있는 믿음을 생각했습니다.

그는 스물둘 청춘을 나라에 바쳤지만 세월이 흐르는 동안 연고 없는 무덤이 되고 말았습니다.

대한민국은 결코 그들을 외롭게 두지 않을 것입니다. 끝까지 기억하고 끝까지 돌볼 것입니다.

2018년 6월 6일, 제63주년 현충일 추념식(국립대전현충원)

4·3 수형인에 대한 첫 직권재심과 특별재심 재판이 열렸습니다.

검사는 피고인 전원 무죄를 요청했고, 판사는 4·3의 아픔에 공감하는 특별한 판결문을 낭독했습니다.

일흔세 분의 억울한 옥살이는 드디어 무죄가 되었고, 유족들은 법정에 박수로 화답했습니다.

상처가 아물고 제주의 봄이 피어나는 순간이었습니다.

"죽은 이는 부디 눈을 감고 산 자들은 서로 손을 잡으라."

2020년, 제주 하귀리 영모원에서 보았던 글귀가 선명합니다.

이처럼 강렬한 추모와 화해를 보지 못했습니다.

아직 다하지 못한 과제들이 산 자들의 포용과 연대로 해결될 것이라 믿습니다.

2018년, 제70주년 4·3행사 추념식(4·3 제주도평화공원)

세계의 모범이 되고 세계를 선도하는 나라가 되겠습니다.

새로운 대한민국으로 세계 속에 우뚝 서겠습니다.

임기 마지막까지 위대한 국민과 함께 담대하게 나아가겠습니다.

국무총리

대한민국 임시정부의 주석 백범 김구 선생도 "오직 한없이 가지고 싶은 것은 문화의 힘이다.

문화의 힘은 우리 자신을 행복하게 하고, 나아가서 남에게 행복을 주기 때문이다"라고 했습니다.

까마득한 꿈처럼 느껴졌던 일입니다. 그러나 오늘 우리는 해내고 있습니다.

케이팝으로 대표되는 한류가 세계를 뒤덮고 있습니다.

BTS 열풍을 두고 〈포브스〉는 "새로운 표준"이라고 했습니다.

영화 〈기생충〉은 칸과 아카데미를 석권했습니다.

게임, 웹툰, 애니메이션, 〈오징어 게임〉 등 우리 드라마가 세계의 사랑을 받고 있습니다.

서양 클래식 음악과 발레 같은 분야에서도 한국인들의 재능이 세계의 격찬을 받고 있습니다.

각 분야 문화예술인들의 열정과 혼이 어우러진 결과입니다.

우리 문화예술을 이처럼 발전시킨 힘은 단연코 민주주의입니다.

2018년 5월 10일, 주민 초청 경내 음악회(녹지원)

친일의 역사는 결코 우리 역사의 주류가 아니었습니다.

우리 국민의 독립투쟁은 세계 어느 나라보다 치열했습니다.

광복은 결코 밖에서 주어진 것이 아닙니다.

선열들이 죽음을 무릅쓰고 함께 싸워 이겨 낸 결과였습니다.

정부는 지난 광복절 이후 1년간 여성 독립운동가 202분을 찾아

광복의 역사에 당당하게 이름을 올렸습니다.

광복이 우리 힘으로 이뤄졌다는 것을

우리는 2021년 완공될 국립대한민국임시정부기념관에 영원히 새길 것입니다.

친일이 아니라 독립운동이 우리 역사의 주류였음을 확인하게 될 것입니다.

2018년 7월 3일, 3·1운동 및 임시정부 수립 100주년 기념사업추진위원회 출범식(문화역서울284)

서해수호의 역사는 우리 모두의 긍지이고 자부심이며,

우리는 서해수호의 정신 속에서 하나가 되어야 합니다.

국민 통합의 힘이야말로 가장 강력한 국방력이며 안보입니다.

강한 국방력과 안보로 나라와 국민의 평화를 지키는 것만이

서해 영웅들의 희생에 진정으로 보답하는 길입니다.

2021년 3월 26일, 제6회 서해수호의 날 기념식(평택2함대사령부)

독립전쟁의 영웅, 대한독립군 총사령관 홍범도 장군이 오늘 마침내 고국산천에 몸을 누이십니다.

봉오동전투와 청산리전투 101주년, 장군이 이역만리에서 세상을 떠나신 지 78년,

참으로 긴 세월이 걸렸습니다.

홍범도 장군님, 잘 돌아오셨습니다.

부디 편히 쉬십시오.

2021년 8월 18일, 홍범도 장군 유해 안장식(국립대전현충원)

2050 탄소중립을 성공하기 위해서는 기술 혁신이 매우 중요합니다.

한국은 그린 에너지원으로서 수소의 잠재력에 주목해,

세계 최초로 수소 관련 법률을 제정하고

수소차, 수소충전소, 수소연료전지 등 수소 생태계 활성화를 위한 기술 혁신에 박차를 가하고 있습니다.

2019년 6월, 수소버스 제막식 및 도심형 수소충전소 시찰

조선 왕조 시대 청각장애인이었던 문신 이덕수와 유수원은

여러 관직에 올라 국정에서 중요한 역할을 수행했고,

시각장애인들은 세계 최초의 장애인단체 '명통시'에 소속돼

국운을 길하게 하고 백성에게 복을 전하는 일을 맡았습니다.

조선 시대에도 장애인의 역량과 권리를 그처럼 존중했던 전통이 있었습니다.

"장애인의 속도가 이것밖에 안 돼서 죄송합니다."

장애인 활동가 이형숙 님이 사과하는 모습이 가슴에 간절하게 와닿았습니다.

장애인과 비장애인의 속도는 서로 다르지만,

우리는 힘께 살아가고 있습니다.

우리는 느린 사람을 기다려줄 수 있는 세상을 만들어야 합니다.

나를 필요로 해 줘서 고맙습니다.
덕분에 나는 더 열심히 할 수 있었습니다.

나를 의심해 줘서 고맙습니다.
덕분에 나는 더 정직할 수 있었습니다.

나를 이해해 줘서 고맙습니다.
덕분에 나는 더 소신껏 일할 수 있었습니다.

나를 미워해 줘서 고맙습니다.
덕분에 나는 더 단단해질 수 있었습니다.

문재인의 운명 화보집

초판 1쇄 펴낸 날 2022년 5월 10일

펴 낸 이   장영재
펴 낸 곳   (주)미르북컴퍼니
자 회 사   더휴먼
전   화   02)3141-4421
팩   스   0505-333-4428
등   록   2012년 3월 16일(제313-2012-81호)
주   소   서울시 마포구 성미산로32길 12, 2층 (우 03983)
E-mail   sanhonjinju@naver.com
카   페   cafe.naver.com/mirbookcompany
인스타그램   www.instagram.com/mirbooks